D0656250

Titre original : *Pony Camp diaries*
Lauren and Lucky
First published in Great Britain in 2009

Stripes Publishing
an imprint of Magi Publications
I The Coda Centre, 189 Munster Road, London SW6 6AW

Cet ouvrage a été réalisé par les Éditions Milan
avec la collaboration de Juliette Antoine et Sophie Forgeas.
Création graphique et mise en page : Graphicat

Pour l'édition française :

300, rue Léon-Joulin, 31101 Toulouse Cedex 9, France
Loi 49-956 du 16 juillet 1949
sur les publications destinées à la jeunesse.
ISBN : 978-2-7459-3722-3
Dépôt légal : 3e trimestre 2009
www.editionsmilan.com
Imprimé en Espagne par Novoprint

Kelly McKain

Charline et Chance

Traduit de l'anglais
par Karine Suhard-Guié

Pour Tom – merci infiniment pour tout ton travail
merveilleux sur Mon poney et moi.

Je remercie particulièrement l'experte
en poneys, Janet Rising.
Kelly McKain

Ce journal intime appartient à

Charline

Chères cavalières,

Bienvenue aux Écuries du soleil !

Les Écuries du soleil, c'est notre maison, et cette semaine, ce sera aussi la vôtre ! Mon mari Paul et moi avons deux enfants, Émilie et Jérémy, plus quelques chiens… sans oublier tous les poneys. Nous formons une grande famille !

Grâce à nos formidables palefreniers et à notre excellente monitrice, Sandra, vous profiterez au maximum de votre séjour. Si vous avez un souci ou une question, n'hésitez pas à venir nous en parler. Nous sommes à votre service, et nous tenons à ce que vous passiez les vacances les plus agréables possibles – alors ne soyez pas timides !

Votre mission consistera à veiller sur un poney comme si c'était le vôtre. Celui-ci est impatient de faire votre connaissance pour s'amuser avec vous ! Vous prendrez soin de lui, améliorerez votre équitation, apprendrez de nouvelles techniques et vous vous ferez des amies.

Et cette semaine, vous vous rendrez à une grande foire agricole, où vous assisterez à un magnifique spectacle de dressage, au milieu d'expositions et de stands passionnants. Ajoutez à cela de la natation, des jeux et des films, et vous voilà parties pour des moments de détente inoubliables !

Vous pourrez noter dans ce journal intime tous vos souvenirs – et croyez-moi, ils seront nombreux !

Nous vous souhaitons une merveilleuse semaine en notre compagnie !

Judith

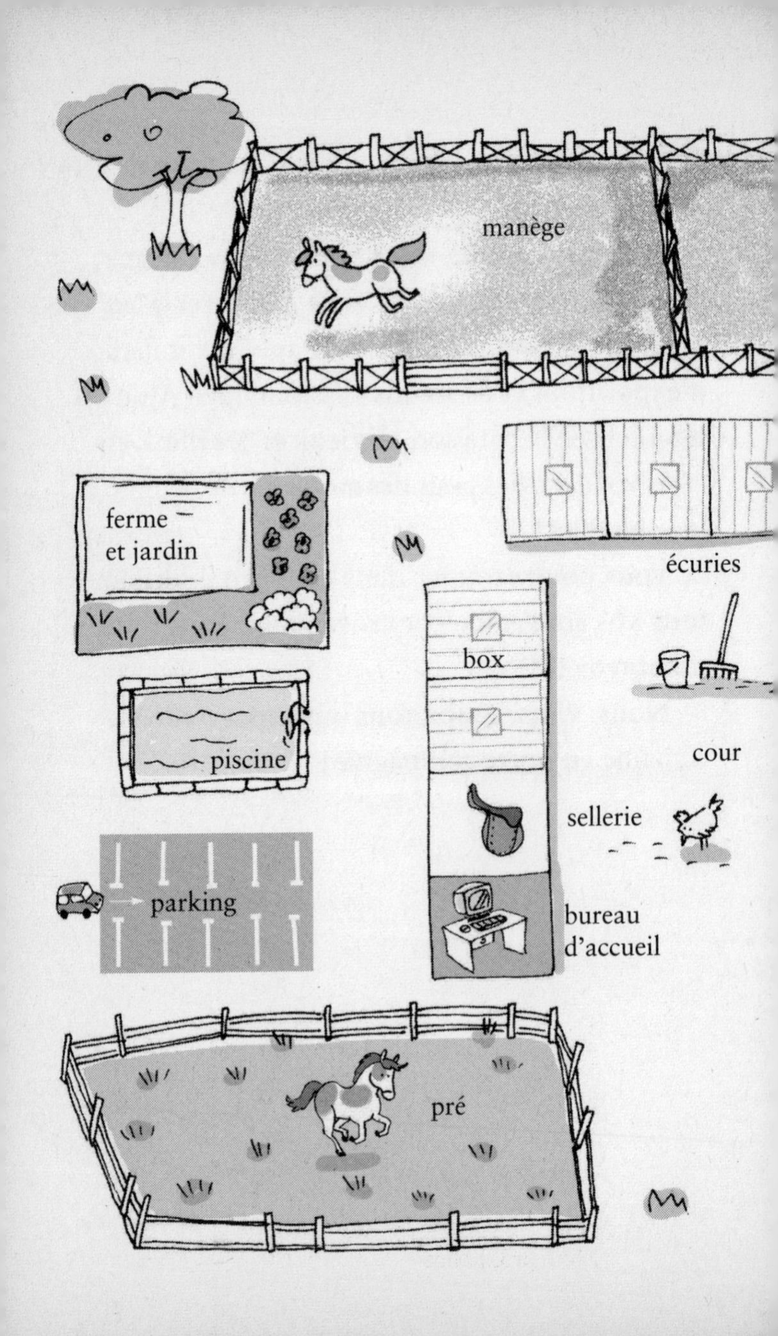
manège
écuries
ferme
et jardin
box
cour
piscine
sellerie
parking
bureau
d'accueil
pré

CENTRE ÉQUESTRE
manège
écuries
box
hangar à fourrage
silo à granulés
écuries
grange
VERS LES PRÉS
Moi sur Chance

Lundi

Après le déjeuner

Me voici arrivée au camp d'équitation ! Je suis assise avec les autres cavalières sur les bancs, au soleil, et nous avons toutes décidé de commencer notre journal intime en même temps ! Jusqu'ici, c'est super : elles sont très gentilles, on m'a attribué un magnifique poney et nous avons eu notre première leçon d'équitation. Waouh ! Je viens de me rendre compte que j'ai plein de choses à raconter, alors je vais essayer d'écrire très vite.

Quand je suis arrivée, la plupart des autres filles avaient déjà défait leurs valises. Comme maman avait laissé mes trois frères dans la voiture, elle n'a pas pu s'attarder. C'est donc Judith (la directrice des Écuries du soleil) qui m'a montré ma chambre. En montant l'escalier, je lui ai bien expliqué que j'avais choisi de venir spécialement cette semaine parce qu'on aura l'occasion de faire du dressage. J'ai déjà réalisé quelques tests dans des concours organisés près de chez moi sur Fizz et Greg, les poneys que je monte dans mon poney-club. J'ai très envie d'apprendre de nouvelles figures. Ce qui est génial, c'est que certaines stagiaires sont aussi folles de dressage que moi ! Mes copines, elles, sont plus intéressées par le saut d'obstacles. Alors je ne leur parle pas beaucoup de ma passion.

Lorsque Judith et moi sommes entrées dans la chambre, la couchette supérieure des lits superposés était déjà occupée par une fille qui s'appelle Alice. Nous nous sommes dit bonjour, et j'ai pris celle du bas. Le lit en désordre près de la fenêtre appartient à Émilie, la fille de Judith. Elle est très sympa – comme tout le monde ici, d'ailleurs.

J'ai été surprise lorsque Alice a déclaré :

– Puisque les plus grandes dans l'autre chambre se connaissent toutes, et qu'Émilie n'est pas dans notre groupe de dressage, il faut que tu sois ma copine.

Je me suis demandé si elle plaisantait ou non, mais elle s'est contentée de sourire et de passer son bras sous le mien. Nous sommes descendues ensemble dans la cour, où nous avons retrouvé les autres filles. Une fois les présentations faites, nous avons parlé de nos différentes expériences en équitation.

Après que Sandra, la monitrice, nous a fait visiter la cour et nous a rappelé les règles de sécurité, ce fut l'heure de rencontrer nos poneys. Nous étions excitées comme des puces tandis que Lydie, la palefrenière, les sortait un par un des écuries et nous aidait à les enfourcher. Sandra a expliqué qu'il était inutile de faire une leçon d'évaluation pour définir les groupes car cette semaine, il y aura juste un groupe normal et un autre de dressage.

Voici les couples cavalière-poney :

Groupe A (normal) :

Ninon : huit ans, avec Bijou

Elsa : huit ans, avec Cracker le foufou

Jade : tout juste sept ans, avec Sucre

Émilie : selon elle, son poney Tropique ne comprend pas vraiment le principe du dressage, et il n'est content que lorsqu'il lui fait traverser une haie !

Groupe B (dressage) :

Paula : douze ans, espagnole, avec Flamme

Laura : douze ans aussi, à moitié allemande, la meilleure amie de Paula, avec Charme

Marie : la sœur de Laura, dix ans comme moi, avec Polisson

Alice : dix ans, avec Grâce, son propre poney (une jument arabe toute mignonne, qui a une jolie marque blanche sur les naseaux). Quelle chanceuse !

Moi, Charline, avec – roulement de tambour, s'il vous plaît ! – le poney le plus magnifique, le plus adorable que j'aie jamais vu : mon superbe Chance !

Lorsque Sandra a annoncé qu'il était pour moi, je n'arrivais pas à y croire : quelle chance d'avoir Chance ! (hi hi !) Il est très beau. C'est un Shetland de deux ans, à la robe alezan crins lavés. Il a une longue liste (bande blanche sur le chanfrein), de ravissantes balzanes (taches blanches situées sur la jambe, au-dessus du sabot) et les plus beaux yeux du monde.

– Oh là là, Charline ! Tu ne le trouves pas un peu trop costaud pour le dressage ? m'a demandé Alice.

J'ai donné une tape à Chance au cas où il aurait senti qu'Alice le critiquait. J'ai fait remarquer à ma camarade de chambre que certains champions de dressage montaient des chevaux encore plus costauds. D'abord un peu surprise, elle a reconnu que j'avais raison.

Ensuite, Sandra a pris en charge notre groupe et Judith le groupe A. Nous étions à la fois surexcitées et nerveuses quand nous avons enfourché nos poneys et que nous nous sommes dirigées vers le manège. Heureusement, nous n'avons pas effectué tout de suite des figures de dressage compliquées. Sandra souhaitait juste voir ce que nous étions capables de faire.

C'est super de chevaucher Chance. Il est si détendu qu'il est un peu mou à lever les jambes ! Il va falloir que je trouve un moyen de l'intéresser au dressage.

Tandis que nous faisions le tour du manège au pas, rênes longues, afin de nous échauffer, Sandra a annoncé qu'elle nous réservait une surprise pour cet après-midi. Nous l'avons toutes suppliée de nous la révéler immédiatement, mais elle s'est contentée de passer une fermeture Éclair imaginaire sur ses lèvres, avec un air mystérieux.

La leçon terminée, nous avons mis pied à terre et avons croisé nos étriers sur les selles de nos montures. Sandra a demandé à Laura de mener les poneys à la grange pour que nous leur enlevions leurs harnachements. Quand nous avons atteint la cour, Alice a tendu les rênes de Grâce à Lydie.

– C'est bien d'essayer, a dit la palefrenière en riant, mais justement, ici, chacun est responsable de son propre poney.

– Évidemment ! C'était pour rire ! a répondu Alice, sur le même ton.

Je ne suis pas sûre qu'elle plaisantait vraiment. Quelle idée ! Moi, si je possédais un poney, je tiendrais absolument à m'occuper de lui de A à Z. Surtout s'il s'agissait de mon magnifique Chance. Je ferais n'importe quoi pour lui !

Mon poney était très rigolo dans la grange. Par exemple, quand je le pansais, il n'arrêtait pas de tourner la tête pour tenter de manger la brosse. Il a aussi renversé le coffre des accessoires de pansage avec son nez, sans doute pour voir s'il y avait des granulés au fond ! Je l'aime déjà tellement ! Quand je l'ai cajolé, il s'est ébroué d'un air content et a frotté ses naseaux contre mon épaule – la preuve qu'il m'aime, lui aussi.

Tandis qu'Alice m'attendait à la porte de la grange pour que nous allions déjeuner ensemble, je suis retournée plein de fois voir Chance en vitesse. Je n'arrivais pas à le quitter.

– Dépêche-toi, j'ai faim ! m'a crié Alice.

J'ai fait un dernier câlin à mon poney, sans oublier Grâce, pour qu'elle ne se sente pas délaissée.

Ce midi, nous avons mangé du poulet, de la salade et…

Oh ! C'est déjà l'heure de nous rendre dans la cour. Sandra va nous révéler sa surprise ! Je suis contente : j'ai réussi à noter presque tout ce que nous avons fait jusqu'à maintenant !

Lundi, avant l'atelier de dressage

Quelle magnifique surprise !

Comme nous attendons Sandra, qui est partie chercher des crayons pour le tableau blanc, je gribouille ces quelques mots rapidement. La surprise, c'est que nous allons créer nos propres tests de dressage, et les mettre en *musique* !

Vu que je regarde les championnats de dressage à la télé, je sais que ça s'appelle des reprises libres en musique. C'est mon épreuve préférée ; c'est vraiment génial de voir des chevaux se déplacer au rythme de chansons. Nous pourrons même choisir nos mouvements et nos airs.

Ce sera exactement comme des chorégraphies, mais sur des poneys !

Bien sûr, dans l'effervescence générale, les stagiaires ont aussitôt discuté des morceaux qu'elles sélectionneraient. Alice a eu un peu peur que nous ne fassions pas des épreuves « authentiques », comme celles des concours officiels. Mais Sandra lui a promis que nous prendrions l'aspect technique très au sérieux et que les figures devraient être absolument impeccables. En plus, certaines seront « imposées » (obligatoires), afin que Sandra puisse nous comparer les unes aux autres plus facilement. Devant notre nervosité, la monitrice nous a rassurées : nous mettrons nos numéros au point petit à petit. Ouf !

C'est alors que Marie a eu l'idée des déguisements. Elle a expliqué qu'elle souhaitait transformer Polisson en pop star, lui teindre la crinière à l'aide de mascaras multicolores pour cheveux et lui mettre des jambières violettes !

Nous avons toutes éclaté de rire lorsque Sandra a dit :

– Je doute que Polisson apprécie ta suggestion, étant donné que c'est un mâle !

Elle a cependant admis qu'il serait amusant de porter des tenues à thème, correspondant à nos airs.

Comme Alice venait juste d'acheter une veste de dressage réglementaire flambant neuve et des jodhpurs, elle a déclaré qu'elle avait bien l'intention de les porter, na ! Sandra a répondu avec un sourire qu'elle ne s'y opposerait pas.

Le plus passionnant, c'est que, d'après Sandra, à la grande foire agricole de mercredi, nous assisterons à une reprise de dressage libre en musique. Nous pourrons ainsi obtenir des conseils de professionnels !

Oh, la voilà qui revient. Il faut que j'y aille…

Toujours lundi

Après le dîner

Nous allons bientôt nager. Sur le conseil de Judith, nous attendons juste une demi-heure de digérer un peu notre repas. J'espère que ça me suffira pour écrire ce qui s'est passé cet après-midi !

Lorsque Sandra est revenue avec les crayons, nous avons discuté des principes de dressage les plus importants. Elle a inscrit au tableau les mots *rythme*, *équilibre* et *expression*, et a déclaré que « le but, c'est que votre poney et vous évoluiez de façon harmonieuse, en ne formant qu'un ».

Je crois que Chance et moi pourrons y arriver – nous formons déjà une si bonne équipe !

En nous expliquant ensuite les figures imposées, Sandra a précisé que nous pouvions les intégrer à nos numéros de n'importe quelle manière, mais qu'il était bien de rendre l'ensemble fluide et symétrique. C'est-à-dire de réaliser chaque figure deux fois, une fois à chaque main. L'avantage, c'est que si l'on ne réussit pas bien à une main, il nous reste une chance de montrer aux juges qu'on sait le faire – astucieux, non ?

Voici la liste des figures imposées :

Pas moyen

Trot de travail (avec aussi quelques foulées allongées)

Cercle de vingt mètres de diamètre

Galop de travail

Quatre pas en reculer (difficile !)

Nous pouvons également ajouter d'autres figures comme les cercles de dix mètres, les virages ainsi que les transitions (enfin, peut-être pas de l'arrêt au galop, ni même du pas au galop – en tout cas, pas pour moi !). Sans oublier les serpentines et le pas libre aux longues rênes. Laura veut inclure dans sa chorégraphie le contre-galop, ce qui est hyper-dur (il faut faire galoper le poney sur le pied droit alors qu'il tourne à gauche, ou inversement). Sandra pense que c'est une possibilité ; elle verra bien comment nous nous débrouillons. Il y a tellement de choix de mouvements que nos numéros seront tous très différents les uns des autres !

Au moment de commencer la leçon, nous étions déjà survoltées et la tête pleine de tout un éventail de figures. Comme nous bavardions toujours en nous échauffant dans le manège, Sandra a été obligée de nous ordonner de nous calmer et de nous concentrer ! Tandis que nous marchions et trottions à chaque main, elle nous a expliqué qu'une bonne impulsion constituait l'un des éléments fondamentaux du dressage. Il ne s'agit pas de *vitesse*, mais plutôt de *puissance*, celle que donnent les cuisses du poney. Je ne sais pas vraiment l'expliquer – en revanche, je sais que Chance et moi n'en avons pas eu beaucoup ! Il s'est pourtant réveillé un peu quand nous avons toutes effectué une série de virages, de cercles, de transitions, et que nous avons utilisé les demi-arrêts (c'est-à-dire le poids de notre corps pour obtenir l'attention de nos montures). Sandra trouve Chance beaucoup plus expressif dans ses mouvements lorsque je l'éperonne un tout petit peu plus. Donc, si je réussis à améliorer son impulsion, ça devrait régler ce problème.

Flamme, elle, n'a aucun mal à être exubérante : elle est aussi comédienne que Paula. Ces deux-là vont très bien ensemble ! Elles ont fait un excellent travail du début à la fin. Même pendant l'échauffement, elles trottaient, majestueuses, autour du manège, avec une souplesse de professionnels. Le trot de travail de Marie aussi était beau et régulier – enfin, une fois qu'elle a réussi à mettre Polisson sur la piste ! Quant à Laura, elle est capable de faire s'arrêter Charme exactement sur les lettres qui servent de repère dans le manège, sans qu'il laisse jamais une jambe traîner en arrière. Si seulement Chance et moi étions aussi doués !

Lorsque ensuite nous nous sommes entraînées aux figures imposées, j'ai trouvé le trot de travail assez difficile. Et Chance n'a pas du tout compris ce que je lui demandais pour le reculer.

Le plus incroyable, c'est qu'Alice a dit que c'était fastoche !

– Bien sûr, c'est facile de faire chaque mouvement séparément, a admis Sandra en souriant. Mais ce qui représente un défi beaucoup plus grand, c'est de les relier en respectant des repères précis.

À la différence de Charme, Chance ne semble pas tenir à tout prix à effectuer les transitions exactement sur les bonnes lettres. Il va vraiment falloir que je travaille ce point – enfin, celui-là plus les autres ! Ce n'est pas grave, je dispose de la semaine entière pour m'améliorer à tous les niveaux. Et j'adore que Chance soit à ce point détendu ; je souhaite qu'il garde ce trait de caractère !

Alice aussi devrait se relaxer. Je crois qu'elle était sérieuse quand elle m'a pratiquement *ordonné* d'être sa copine. C'est un vrai pot de colle, et elle ne parle pas beaucoup aux autres stagiaires.

Ça ne me dérange pas, enfin, pas *réellement*, mais c'est un peu embêtant qu'elle me « kidnappe » quand je suis en train de discuter avec Marie ou Émilie. Et puis parfois, elle critique les autres. Par exemple, quand nous dessellions, elle m'a dit :

– Tu te rends compte que Marie a eu l'idée de mettre du mascara pour cheveux et des jambières à Polisson ? C'est ridicule !

J'étais très gênée parce qu'elle n'était pas spécialement discrète, et j'ai eu peur que Marie ne l'entende (elle se trouvait juste dans le box d'à côté, avec Laura et les poneys). Je déteste quand les filles font des commérages sur les autres. Je ne vois tout simplement pas à quoi ça sert.

– Elle était juste très enthousiaste, ai-je répondu.

– Oh ! Mais tu es dans quel camp, toi ? m'a rétorqué Alice, soudain fâchée.

– Je ne pense pas qu'il y ait de *camps*, ai-je déclaré, en m'énervant à mon tour.

Alice s'est contentée de me regarder d'un air vexé, avant de se mettre à ranger toutes ses affaires dans son coffre à pansage. C'est à ce moment-là que je me suis aperçue qu'elle n'avait pas curé les pieds de Grâce. Vu qu'elle était tellement de mauvaise humeur avec moi, j'ai préféré me taire. Mais d'un autre côté, je ne voulais pas que Grâce ait un copeau de bois ou une pierre coincés dans son sabot pour le reste de la journée. Quand je l'ai fait remarquer à Alice, elle a grogné :

– En fait, j'allais lui curer les pieds *maintenant*.

J'ignore pourquoi elle a si mal réagi. Nous oublions tous des choses de temps en temps. Pas la peine d'en faire un fromage.

Oh, bon, ce n'est pas grave. Il y a d'autres choses qui me préoccupent – comme le dressage ! Quand, pendant le dîner, Laura et Paula discutaient d'*incurvation latérale* (position courbée du cheval obtenue par le travail en cercles), je me suis dit : « Au secours ! ». Lorsque je leur ai dit que ce serait déjà bien si Chance et moi arrivions à simplement nous déplacer – sans même parler de le faire avec classe –, elles m'ont rassurée. Laura s'est exclamée : « Oh, je sais ce que tu ressens parce que moi, je suis tellement mauvaise ! ». Et Paula a ajouté : « Ne t'inquiète pas, moi, je ne réussirai jamais à faire une chorégraphie entière ». C'était vraiment gentil de leur part étant donné qu'elles sont très douées. Mes frères, eux, m'auraient lancé : « Oui, t'es vraiment trop nulle ! ».

J'aurais bien voulu parler avec elles plus longtemps, mais Alice m'a emmenée de force voir sa collection de maquillage.

Oh, je dois partir. Il est l'heure d'aller nager !

Mardi, après le déjeuner

Pendant que Laura et Paula rangent
(c'est leur tour, ce soir !)

C'était super, la piscine, hier ! Nous avons toutes joué ensemble et fait des compétitions dans l'eau. Après l'extinction des feux, Alice et moi nous sommes bien amusées aussi. Juste au moment où je m'endormais, elle m'a secoué le bras et m'a proposé de faire un goûter de minuit. Je voulais réveiller Émilie, mais vu qu'Alice n'avait que deux sucettes, nous ne pouvions pas les partager avec elle. Alors j'ai grimpé sur la couchette d'Alice et nous avons dévoré ses bonbons. Nous avons discuté à voix basse pour que Judith ne nous entende pas.

Alice m'a parlé de son école – un pensionnat incroyable pour les riches. Comme il est équipé d'écuries, elle y emmène Grâce, qu'elle peut donc monter tous les jours. J'imagine si j'étais en pension avec mon propre poney ! Qu'est-ce que je m'amuserais avec les autres élèves – nous organiserions des tas de festins nocturnes ! J'aurais l'impression d'être en camp d'équitation tous les jours ! Honnêtement, Alice semble avoir une vie fabuleuse. En plus, ses parents lui paient très souvent des vacances à thème : elle peut aussi bien effectuer un stage de théâtre qu'aller apprendre l'anglais en Angleterre. Comme ils vivent à Hong Kong et qu'elle ne les voit que deux fois par an environ, ils la laissent faire tout ce qu'elle veut.

Je l'ai écoutée, bouche bée, puis j'ai dû lui dire au moins cent fois :

– Waouh ! Tu es une sacrée veinarde !

À mon tour, je lui ai décrit ma vie :

– Moi, mon père est très sévère et j'habite loin de mes camarades d'école. Alors, la plupart du temps, je suis coincée avec mes trois horribles frères. Le pire, c'est qu'ils trouvent toujours un moyen d'éviter de faire leurs corvées, alors que ma mère ne me laisse jamais le choix, à moi. Sans mes leçons d'équitation du samedi matin, je deviendrais folle ! Je donnerais n'importe quoi pour être à ta place, avoir plein de copines avec qui m'amuser, chevaucher mon propre poney et m'en occuper chaque fois que j'en aurais envie. Ce serait le paradis !

Alice s'est contentée de hausser les épaules avant de répondre :

– Tu as sans doute raison.

Je suis sûre que son manque d'enthousiasme était dû à de la modestie. Notre conversation s'est arrêtée là car nous nous sommes endormies.

En général, je déteste me lever le matin, mais aujourd'hui, ça ne m'a pas dérangée parce que je me réveillais au camp d'équitation pour la première fois.

Après le petit déjeuner, nous avons pris des longes dans la sellerie et nous avons gravi le chemin menant au champ du haut, afin d'attraper nos poneys. Je me suis dirigée vers Chance, je l'ai caressé, lui ai donné une carotte et il m'a laissé lui passer sa longe sans problème. J'ai aidé Elsa à faire la même chose à Fripon, parce que le clip de sa corde était assez dur et que ce petit effronté bougeait la tête sans arrêt ! Comme Grâce, un peu capricieuse, s'éloignait d'Alice, celle-ci a demandé à Lydie de faire le travail à sa place.

C'était chouette de redescendre le sentier dans les claquements de sabots et de panser nos poneys toutes ensemble. Nous avons discuté et plaisanté. C'est exactement comme ça que je m'étais imaginé le stage !

Pour l'atelier de dressage, je me suis assise avec les filles de mon groupe sur les bancs de pique-nique, devant la grange. Dès que Sandra est arrivée, nous l'avons bombardée de questions sur les figures obligatoires et d'idées de chorégraphie.

– Attendez ! Attendez ! s'est-elle écriée. C'est bien d'être enthousiastes, mais parlez chacune votre tour !

Nous avons levé la main comme si nous étions à l'école, ce qui nous a fait rire. Après avoir répondu à nos interrogations, Sandra a expliqué que la plupart des gens trouvent plus facile d'inventer d'abord le numéro, puis de choisir la musique qui va avec. On peut trouver une suite de deux ou trois airs, ou bien un seul. Elle nous a très bien conseillées. Par exemple, il faut penser à la personnalité de notre poney et sélectionner les mouvements qui mettent en valeur ses forces plutôt que ceux qui révèlent ses faiblesses. (C'est pourquoi Chance et moi n'effectuerons pas de transitions de l'arrêt au galop !)

Ensuite, Sandra a envoyé Laura chercher des règles, des crayons à papier et des feuilles dans la salle de jeux. Nous avons recopié le schéma à l'échelle de la carrière qu'elle a dessiné sur le tableau blanc.

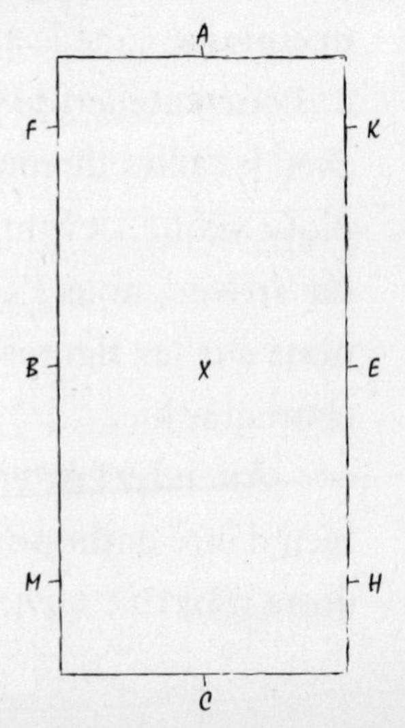

Nous avons discuté entre nous en faisant des croquis pour définir quelles figures imposées nous allions exécuter et dans quel ordre. Les gommes ont beaucoup fonctionné quand nous nous sommes rendu compte que certaines ne sont pas faciles à relier à d'autres. Comme il n'y en avait pas assez pour tout le monde, Alice a cassé la sienne en deux et elle m'en a donné un bout. Toutes les deux, nous avons décidé d'effectuer un cercle de vingt mètres au trot autour de la ligne AX de la moitié de la carrière, et d'enchaîner avec un galop dans le coin AF. Ça devrait bien rendre. Sandra a trouvé que c'était une bonne idée ; nous étions très contentes de nous !

Plus tard, lors de la leçon, nous avons travaillé sans étriers afin d'améliorer notre équilibre pour le dressage. Marie a failli faire un vol plané parce que Polisson a fait un grand plongeon quand il a pris le galop. Heureusement, elle s'est accrochée au pommeau à temps !

Quand nous avons repris les figures de dressage, j'ai trouvé que Chance et moi avions vraiment progressé. Tout le groupe a essayé le cercle de vingt mètres au trot et le galop dans le coin AF, la combinaison qu'Alice et moi avions trouvée. C'est sûr, nous allons l'inclure dans nos chorégraphies car ces deux mouvements fonctionnent bien ensemble. Ensuite, nous avons trotté sur la ligne du milieu, nous sommes allées au pas moyen de la lettre C à la lettre E, avant de reprendre le trot en E. Sandra a raison : c'est difficile d'enchaîner les figures et de les réaliser exactement sur les repères.

À un certain moment, je me suis rappelé la remarque de la monitrice : Chance a besoin de préparation. C'est pourquoi je me suis tenue bien droite et j'ai appuyé plusieurs fois mes jambes contre ses flancs pour qu'il ait une démarche plus active. Puis, je lui ai demandé de prendre le trot. Ça a marché au troisième coup (juste sur le repère, en plus !). Je retiens donc cet enchaînement pour mon épreuve.

Oh, il est l'heure de retourner dans la cour. À plus tard !

Mardi, après le dîner

Ce n'est pas ma faute si Alice a envie d'être de mauvaise humeur !

Je n'arrive pas à comprendre pourquoi elle a été si méchante avec moi pendant la leçon, et devant tout le monde, en plus ! Elle était de bonne humeur au déjeuner, alors peut-être que c'est ce qui s'est passé cet après-midi, pendant l'atelier de dressage, qui l'a fâchée. Mais la raison m'échappe car c'était une broutille.

Installées sur les bancs de pique-nique, nous rédigions des brouillons d'épreuves de dressage, avec l'aide de Sandra. Marie et moi nous entraînions à pied devant la grange, comme si nous étions sur nos poneys. Nous étions pliées de rire parce que je hennissais comme Chance et Marie se livrait à une démonstration de toupies (tours complets sur soi-même, en passant une jambe après l'autre par-dessus l'encolure et la croupe de sa monture). Sauf que, comme elle n'avait pas de poney, elle tournoyait simplement, tout en lançant les jambes en l'air ! Et elle a demandé à Sandra si nous pouvions intégrer ces mouvements dans le concours ! Même si la monitrice nous a trouvées complètement folles, elle nous a donné son autorisation. Alice, au contraire, n'était pas d'accord, parce que ce n'est pas une figure officielle de dressage.

– Eh bien, c'est mon concours et mon règlement, lui a rappelé Sandra. Et si ça rend les choses encore plus amusantes, alors pourquoi pas ?

Alice a-t-elle été vexée de ne pas avoir le dernier mot ? Je ne comprends toujours pas pourquoi elle s'occupe autant de ce que font les autres.

En tout cas, elle était vraiment contrariée quand nous sommes allées nous préparer pour notre leçon. Comme Sandra donnait un cours particulier à Émilie, qui chevauche Caramel, la nouvelle ponette des Écuries du soleil, nous avions un peu de temps libre. C'était Lydie qui nous surveillait dans la cour. Marie m'a aidée à réfléchir à la manière de rendre Chance plus élégant pour la compétition. Nous avons commencé à lui tresser la crinière et, chose incroyable, Alice a lancé :

– Je ne sais pas pourquoi vous vous donnez tant de peine. Il est tellement petit et trapu que vous pourrez faire tout ce que vous voudrez, il n'aura jamais aucune classe !

C'était vraiment *charmant* de sa part ! Je suis devenue toute rouge et j'ai serré la tête de Chance dans mes bras.

– Bien sûr que si, il aura de la classe. Il sera magnifique. Hein, mon cœur ? ai-je dit bien fort, mais Alice était déjà partie.

Quand Marie est allée aider Jade à curer les sabots de Sucre, Alice est revenue en trombe vers moi et m'a accusée de la *laisser tomber* !

– Marie était juste en train de m'aider. Qu'est-ce qu'il y a de mal à ça ? me suis-je défendue.

Mais Alice s'est fâchée. Elle a refusé de me prêter sa brosse dure pour enlever la poussière de copeaux qui recouvrait les fanons – les touffes de crins – des boulets de Chance. (Les boulets sont les articulations du pied d'un cheval.) Pourquoi se comporte-t-elle comme si j'étais sa chose ?! Nous sommes là pour profiter de nos poneys, apprendre le dressage et nous amuser. À quoi ça sert de créer des problèmes quand il n'y en a pas ?

Pourtant, ce qui est arrivé pendant la leçon était encore PIRE.

L'échauffement terminé, Sandra a annoncé que nous allions de nouveau nous entraîner à nos chorégraphies, par équipe de deux cette fois-ci. Selon elle, c'est un bon exercice parce que les poneys les plus fonceurs et les plus sûrs d'eux stimulent les autres. Elle a ajouté qu'Alice me montrerait l'exemple et que Laura irait devant Marie. Mais avant qu'elle ait pu préciser ce que Paula ferait, Alice a demandé :

– Nous ne ferons pas le *vrai* concours deux par deux, n'est-ce pas ? Parce que ce n'est pas juste que *ceux-là* fassent baisser mon score.

Quand elle a dit « *ceux-là* », elle a regardé Chance et moi comme si nous étions archinuls.

Sous le choc, je me suis baissée pour caresser l'encolure de Chance. J'étais très gênée qu'Alice ait prononcé ces paroles devant tout le monde, et aussi très en colère devant une telle méchanceté. Sandra aussi s'est fâchée.

– C'est juste pour cette leçon, a-t-elle dit d'un ton brusque à Alice, qui l'a regardée d'un air boudeur.

– Moi, j'aimerais bien m'entraîner avec Charline. Je la trouve super douée, m'a réconfortée Paula.

– D'accord, c'est parfait. Et Laura, après avoir travaillé avec Marie, tu pourras guider Alice.

Alice m'a lancé un regard furieux, comme si elle ne faisait plus partie des meneuses par *ma* faute – alors que c'était elle qui avait fait des histoires. Je sais bien qu'elle est perfectionniste en ce qui concerne le dressage, mais ce n'est pas une raison pour être si horrible avec moi !

Le reste de la leçon s'est bien déroulé, même si c'était dur d'oublier les critiques d'Alice et de me concentrer. Le pauvre Chance n'avait pas l'air dans son assiette, lui non plus. Résultat : nous avons eu encore plus de mal à effectuer nos transitions sur les repères et nous avons raté notre galop dans le coin AF. J'ai donc dû refaire un cercle de vingt mètres au trot et redemander à Chance qu'il galope.

Nous avons repris espoir lors du travail par deux, car Chance a vraiment brillé derrière Flamme et Paula. Le sens de la mise en scène de Flamme a dû l'inspirer, parce qu'il a effectué tous les mouvements avec beaucoup d'allure. Sandra avait raison : c'est plus facile quand on peut copier sur quelqu'un. Lorsqu'elle nous a félicités de nos progrès, j'ai eu un sourire jusqu'aux oreilles. Ça m'a beaucoup redonné confiance, après les attaques d'Alice. Je me fiche de ce qu'elle pense – moi, je suis très fière de mon adorable poney !

Dans la seconde moitié de la leçon, nous sommes toutes sorties par le portail et sommes restées près de la clôture. Puis, chacune notre tour, nous avons pénétré de nouveau dans le manège pour tester nos enchaînements. Assise dans la tribune des spectateurs, Lydie annonçait nos séquences. Le travail de toutes les cavalières de dressage était approximatif et bâclé. Nous nous arrêtions sans cesse afin de modifier les mouvements qui ne fonctionnaient pas. Tandis que Sandra nous aidait, Lydie notait les changements sur nos feuilles de papier.

Chance a fourni énormément d'efforts, mais il s'est un peu emmêlé parce que certaines des nouvelles indications lui posaient problème. Mon numéro a donc encore beaucoup changé à la fin, car Sandra et moi avons trouvé des moyens de le rendre plus fluide. Lorsque Lydie m'a rendu ma feuille, elle était toute gribouillée, alors je l'ai recopiée au propre. Voilà ce que ça donne :

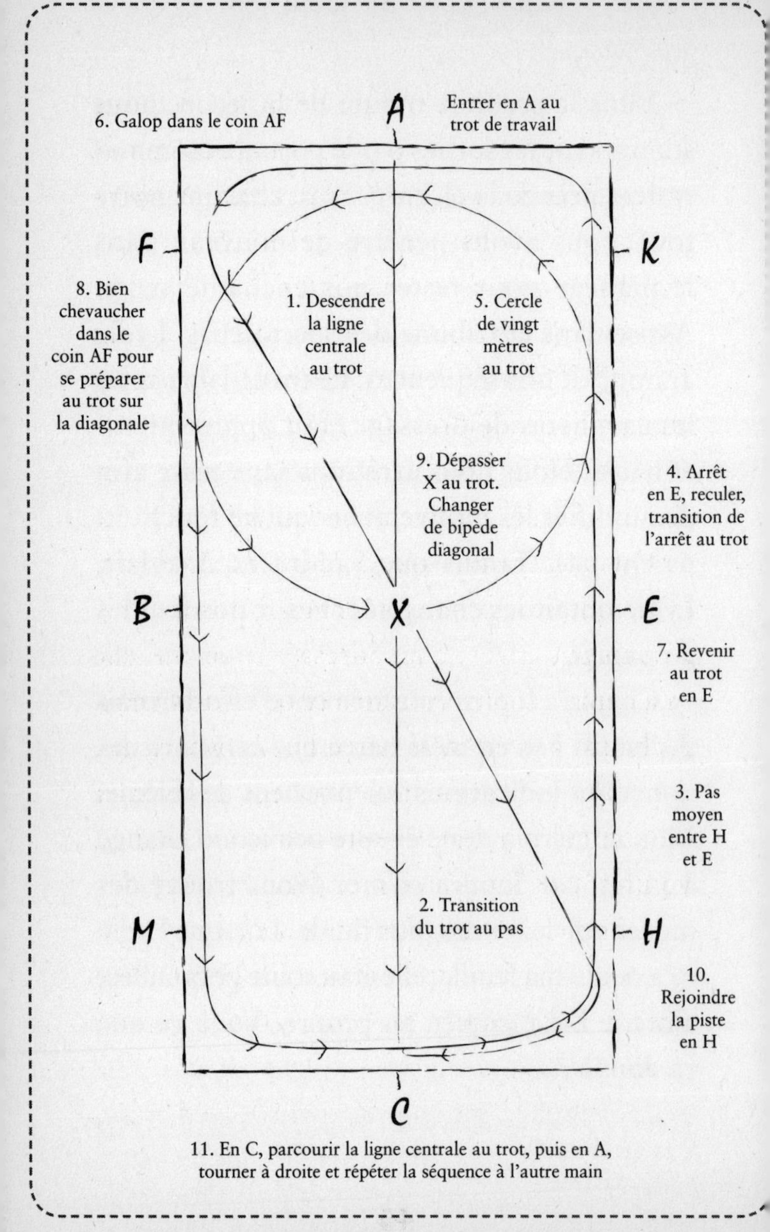

6. Galop dans le coin AF
A
Entrer en A au trot de travail
F
K
8. Bien chevaucher dans le coin AF pour se préparer au trot sur la diagonale
1. Descendre la ligne centrale au trot
5. Cercle de vingt mètres au trot
9. Dépasser X au trot. Changer de bipède diagonal
4. Arrêt en E, reculer, transition de l'arrêt au trot
B
X
E
7. Revenir au trot en E
3. Pas moyen entre H et E
2. Transition du trot au pas
M
H
10. Rejoindre la piste en H
C
11. En C, parcourir la ligne centrale au trot, puis en A, tourner à droite et répéter la séquence à l'autre main

Oh, je dois dire aussi que la chorégraphie de Laura était fantastique ! Elle y a inclus de très jolies serpentines et elle a même tenté le contre-galop. Vu qu'elle s'est hyper bien débrouillée, Sandra l'a autorisée à le garder.

À la fin de la leçon, après nous avoir toutes félicitées, Sandra a annoncé que le moment était venu de réfléchir au choix de la musique. Ce soir, Judith nous fera écouter différents morceaux – j'espère bien que ça m'inspirera !

Quand nous avons regagné la cour, Alice voulait à tout prix discuter avec moi. Voyant que je n'avais pas envie de lui adresser la parole, elle m'a demandé plusieurs fois ce qui n'allait pas. À chaque fois, je lui ai répondu : « Rien, rien », parce que je n'avais pas le courage de reparler de son comportement qui m'avait déplu. Je voulais juste me concentrer sur Chance.

Au bout d'un moment, elle a dit :

– Oh, Charline, ce n'est pas cette petite chose que j'ai dite pendant la leçon, n'est-ce pas ?

Alors là, j'ai éclaté : ce n'était pas une petite chose, mais une grande, énorme,

GIGANTESQUE chose. Je me suis arrêtée de balayer, me suis appuyée sur mon balai et je lui ai répondu :

– Tu prétends être mon amie, mais en fait tu es très méchante avec moi… et avec Chance.

– Bien sûr que tu es mon amie, imbécile ! s'est-elle exclamée en levant les yeux au ciel. Tu ne vas pas te fâcher juste parce que je veux mettre toutes les chances de mon côté pour gagner le concours. Puisque nous sommes copines, tu devrais souhaiter que je réussisse. Ne sois pas si susceptible !

J'étais folle de rage ! J'en ai eu le souffle coupé. Quand j'ai voulu lui répondre, elle était déjà partie, mécontente. Comme elle n'est pas revenue, j'ai rempli d'eau le seau de Grâce et j'ai fini de lui peigner la crinière. C'était injuste qu'elle souffre simplement parce qu'Alice boudait ! Je trouve très bizarre qu'Alice n'ait pas envie de s'occuper de Grâce. Cette jument est tellement belle et gentille. Si elle était à moi, je tiendrais à passer tout mon temps libre avec elle !

Après notre dispute, il n'est donc pas surprenant que je ne me sois pas assise près d'Alice au dîner ! Je me suis installée dehors, aux tables de pique-nique et, par chance, Laura m'a invitée à la rejoindre avec Paula et Marie. C'était chouette de parler de nos reprises libres. Je me suis efforcée de ne pas regarder Alice, qui se trouvait avec les plus jeunes, à la table d'à côté. Lorsqu'elle est passée devant nous pour aller se resservir au buffet de la cuisine, elle a fait exprès de tourner la tête afin de ne pas me voir. Laura a haussé les sourcils comme pour me dire : « Oh là là ! ».

Si seulement Alice pouvait se détendre ! Cela fait des mois que je rêve de ce stage d'équitation – depuis que maman m'a donné son accord. J'étais loin d'imaginer qu'une fille lunatique me compliquerait la vie. Ce camp est pour moi l'occasion de me faire des copines, et je souhaite que nous formions toutes une joyeuse troupe. Je ne vais certainement pas laisser Alice tout gâcher !

Mardi, au lit

Après ma douche et mon chocolat chaud, en attendant que Judith vienne éteindre la lumière

Émilie dort déjà à poings fermés et Alice lit un magazine. Hier, à la même heure, je bavardais avec elle… Elle tourne les pages bruyamment pour me montrer à quel point elle m'ignore. Oh, ça m'est égal. De toute façon, je voulais remplir mon journal.

Je n'ai toujours pas été inspirée en ce qui concerne ma musique. Laura m'a fait écouter quelques chansons sur son iPod, mais rien ne m'a vraiment plu. J'ai aussi consulté les CD d'Émilie, sans qu'aucun retienne mon attention. En revanche, j'ai bien aimé aider les autres à choisir. Nous avons écouté des titres sur l'ordinateur de la salle de jeux. Après que Paula et Marie ont sélectionné leurs morceaux (Paula a retenu deux extraits de flamenco), nous avons réfléchi à l'association des différents passages musicaux avec les mouvements des poneys.

Comme Ninon, Elsa et Jade voulaient participer, Laura et Marie leur ont fait faire le tour de la pièce sur leur dos ! Elles faisaient mine d'être les poneys, et mimaient les pas de dressage que Paula annonçait.

Au début, Alice était isolée, mais ensuite, Émilie lui a posé des questions sur sa chorégraphie. Elle l'a aussi aidée à choisir des morceaux dans les compilations de musique classique de Judith, si bien qu'elle n'était plus totalement à l'écart. En tout cas, ce n'est pas moi qui vais m'inquiéter à son sujet – pas après l'attitude qu'elle a eue !

Plus tard, Judith nous a proposé d'aller piquer une tête dans la piscine, où nous avons toutes décidé de continuer à jouer aux poneys. Cette fois-ci, j'ai porté Jade sur mon dos (c'est beaucoup plus facile dans l'eau !). Nous disions que la piscine était le manège, et Laura, positionnée au milieu du bassin, a joué le rôle de Sandra, en nous donnant des instructions.

Alice a porté Émilie pendant un moment, avant de décider qu'elle voulait nager sérieusement, afin de se préparer à la compétition de dressage. C'est Laura qui l'a remplacée. Nous avons persuadé Judith d'imiter Sandra et d'annoncer les figures, même si elle nous a trouvées complètement fofolles !

Je me sens tellement mieux maintenant que j'ai passé plus de temps avec les autres filles. Dommage qu'Alice ne se soit pas beaucoup amusée avec nous, mais c'était son choix.

Oh, Judith monte l'escalier ! C'est l'heure de l'extinction des feux. Bonne nuit !

Mercredi

De retour aux Écuries du soleil,
après une journée incroyable
à la grande foire agricole !

Ce matin, nous avons été dispensées de travaux dans la cour en raison de notre visite de la foire. Nous avons quand même emporté des carottes dans le champ des poneys, si bien que j'ai pu voir mon beau Chance avant le départ en minibus.

J'ai effectué le trajet près de Marie. Elle m'a laissé utiliser l'un des écouteurs de son iPod, mais je n'ai toujours pas trouvé l'inspiration (même si une idée m'est venue plus tard !). Il nous a fallu environ une heure pour nous rendre à la foire. Pendant tout ce temps, Alice est restée seule avec ses magazines étalés sur le siège d'à côté, sans parler à personne. Pourtant, à notre arrivée sur place, elle s'est exclamée comme nous toutes : « Waouh ! », car l'endroit était beaucoup plus grand que nous ne l'avions imaginé. Il y avait un monde fou et des tas d'adorables chiens partout.

Nous nous sommes d'abord promenées parmi les différents stands. L'un d'entre eux présentait de magnifiques bijoux en argent. Nous avons essayé des bagues, des colliers, des bracelets, avant que Judith finisse par nous emmener plus loin de force !

Puis Sandra nous a dit de venir visiter le stand de la Ligue pour la sauvegarde de la chouette hulotte. Nous en avons admiré une belle, qui était très douce. Nous ne devions faire aucun bruit parce qu'elle était très timide. Nous avons continué avec un stand de fabrication de savons « maison ». Les articles exposés étaient très jolis ; on aurait dit des bonbons. Ils sentaient merveilleusement bon, comme par exemple les savons aux baies, à la menthe ou même au chocolat et au caramel. J'ai dépensé une partie de mon argent de poche dans un savon pour mamie et un autre pour maman. Comme sentir le caramel nous a donné envie d'en manger du vrai, Judith nous a emmenées à un stand de confiseries. Là, nous avons toutes acheté quelque chose à grignoter pour poursuivre notre petit tour (moi, j'ai pris des bonbons au caramel saveur vanille).

Lorsque le concours de dressage a commencé, les spectateurs sont arrivés en masse. Sandra nous a expliqué que le dressage sur de la musique est très populaire, y compris chez les gens qui ne font pas d'équitation.

La compétition m'a éblouie : les cavaliers étaient hyper-élégants et les chevaux magnifiquement toilettés. Ces couples ont effectué des figures incroyablement difficiles tels que le piaffer (surplace du cheval qui frappe le sol en levant et en abaissant alternativement les antérieurs), le passage (trot majestueux d'une grande lenteur) et même quelques changements de pied en un seul temps. Ce dernier mouvement est super parce qu'on a l'impression que le cheval saute. Nous avions chacune nos couples préférés, que nous voulions voir gagner. Le mien, c'était Félicité Hamon sur Chakaboum, un superbe cheval bai. Je les aimais bien car la cavalière était très douée et Chakaboum assez trapu, comme Chance. Leur excellente prestation a été très applaudie (et toc ! Alice ! La preuve qu'un poney peut être trapu et avoir du succès !). En plus, ils ont remporté la deuxième place, ce qui est génial !

Judith nous avait arrangé une rencontre avec les concurrents, dans la zone des fourgons à chevaux. Nerveuse, je pensais que je ne saurais pas quoi dire. Sauf que j'ai soudain repéré Félicité qui nettoyait son matériel, assise sur les marches du van de Chakaboum. J'avais tellement envie de lui dire combien je l'admirais que j'en ai oublié ma timidité et je suis tout de suite allée vers elle. Elle m'a donné un autographe, sur lequel elle a écrit : *À Charline et Chance. Bonne chance pour votre concours de dressage ! Amitiés, Félicité Hamon.* Je le colle dans ce journal intime en souvenir.

Avant même que je m'en rende compte, je disais à Félicité que j'espérais vraiment bien m'en sortir vendredi, mais que j'avais des doutes étant donné le tempérament si décontracté de Chance.

– Chakaboum est parfois un peu comme ça aussi, mais sois positive, sûre de toi et je suis certaine que tu le motiveras à faire de son mieux. Si tu mets ses forces en valeur, tout ira bien.

J'ai tant réfléchi à ces conseils que dans le minibus qui nous ramenait au centre équestre, j'ai eu l'inspiration ! Tandis que nous chantions toutes en chœur des titres de nos comédies musicales favorites, Laura a entonné *Être à la hauteur*, du *Roi Soleil*. Aussitôt, je me suis dit que ce serait le morceau idéal pour ma chorégraphie de dressage avec Chance, parce que je tenais justement à réussir ! Je sais que Chance m'y aidera car il est honnête, loyal et qu'il n'abandonne pas facilement. Il est même possible que je pénètre dans l'arène en faisant tourner une vieille ombrelle, ce qui prouvera aussi que Chance n'est pas peureux !

À notre arrivée aux Écuries du soleil, j'ai annoncé mon idée à Sandra, qui l'a jugée fantastique. Je suis si contente d'avoir trouvé la chanson parfaite ! Judith l'a téléchargée sur l'ordinateur et nous l'avons écoutée pendant que je l'aidais à servir de l'orangeade et des biscuits. Nous étions toutes assoiffées après avoir autant chanté !

Oh, super ! Sandra vient d'entrer nous dire que nous pouvions aller voir nos poneys dans le champ. À plus tard !

Mercredi, 21 h 42

Au lit, à la lueur
de ma lampe torche

Émilie et Alice se sont endormies. J'ai essayé de faire comme elles, mais je ne pouvais pas m'empêcher de penser à ce qui s'est passé ce soir. Je vais tout raconter dans l'espoir que mon cerveau se mette en veille !

Après avoir pris notre douche, nous avons enfilé nos pyjamas. Puis je suis allée dans la chambre des plus grandes. Là, Paula, Laura, Marie et moi avons répété nos enchaînements de dressage, en essayant de les apprendre par cœur. C'était chouette, nous nous interrogions les unes les autres comme dans un jeu télévisé.

À la moindre erreur, Paula disait : « Bip ! Mauvaise réponse. Au revoir ! ».

Alice nous a rejointes un peu plus tard. Au début, tout allait bien – jusqu'à ce que je dise que je parcourais la ligne centrale au trot en faisant CXA au lieu de AXC. Paula a crié : « Bip ! », mais Alice est intervenue en hurlant : « Faux ! Vous êtes nulle ! Vous êtes priée d'abandonner le concours ! En fait, vous n'auriez même pas dû vous inscrire ! De toute façon, vous n'avez aucune chance de gagner sur ce poney fainéant et négligé ! ».

J'en ai presque tremblé. Je n'en revenais pas qu'elle ait été aussi méchante avec moi !

Mes trois copines l'ont dévisagée, mais Alice avait le fou rire – apparemment, elle se trouvait *drôle*.

– Tu ferais mieux de t'en aller ! lui a lancé Laura.

– Nous ne t'avons même pas invitée, a ajouté Paula. Tu as débarqué dans notre chambre et maintenant, tu as tout gâché.

– Oui, a murmuré Marie timidement.

Alice a d'abord paru surprise, puis elle a eu les larmes aux yeux et est sortie en courant.

Les autres l'ont critiquée et, comme elle avait été vraiment horrible avec moi, finalement, je m'y suis mise aussi. Alors, je leur ai raconté qu'Alice avait trouvé Marie ridicule de vouloir déguiser Polisson en pop star. Et que c'est moi qui m'occupais de Grâce, en plus de Chance, parce qu'elle était trop paresseuse.

Quand nous sommes descendues boire notre chocolat chaud, le téléphone a sonné et Judith m'a dit que c'était ma mère. Je suis allée sous le porche, au calme, lui raconter ce que je faisais au camp d'équitation. J'ai même discuté en vitesse avec mes frères. Quelle surprise qu'ils aient voulu prendre de mes nouvelles ! En général, ils sont trop occupés à jouer dehors ! Maman a repris le combiné pour me dire au revoir. J'ai raccroché, et quand je me suis retournée, j'ai vu qu'Alice était là. Elle avait tout écouté !

– Je t'aime, maman ! m'a-t-elle imitée, en se moquant de moi.

– Et alors ? C'est ma *mère* ! ai-je rétorqué.

– Espèce de bébé ! a crié Alice en me faisant une grimace, avant de s'éloigner d'un pas lourd et bruyant.

Je ne comprends pas son attitude. Après tout, si elle me déteste, elle n'a qu'à me laisser tranquille ! Pourquoi se sent-elle obligée de me suivre à la trace en étant aussi méchante ? Je ne vois même pas pourquoi elle ronchonne autant. Elle a tant de chance : sa vie est parfaite, elle a *tout*. De toute façon, je n'ai même pas envie d'être sa copine. Je n'accepte pas son comportement avec Grâce. On dirait qu'elle n'aime pas son propre poney.

Oh, une minute, j'entends du bruit. Ça ressemble à des pleurs. Je vais voir ce que c'est…

Mercredi, 23 h 24

Je n'arrive toujours pas à dormir !

C'était Alice qui pleurait sur la couchette au-dessus de la mienne. J'ai voulu faire comme si je n'entendais rien, mais elle semblait si bouleversée que je n'ai pas pu. J'ai gravi l'échelle et j'ai dirigé ma lampe sur elle. La tête enfoncée dans son oreiller, elle pleurait à chaudes larmes.

– Qu'est-ce qui ne va pas ? ai-je chuchoté. Tu veux que j'appelle Judith ? Tu es malade ?

Alice a voulu dire quelque chose, mais elle ne faisait que tousser et avait des sanglots dans la voix.

– Non, ce n'est pas ça, a-t-elle fini par murmurer.

Je me suis hissée au bout de son lit. Pour être honnête, j'avais peur, je ne savais pas quoi faire. J'étais sur le point d'aller chercher Judith quand Alice s'est mise à parler.

– Personne ne m'aime, a-t-elle chuchoté.

J'ai pensé lui mentir et la rassurer, mais je n'en avais pas envie. Au lieu de ça, je lui ai dit la vérité.

– C'est parce que tu es horrible avec moi.

– C'est juste pour te faire des blagues, a-t-elle dit d'une voix faible.

– Eh bien : « Ha ! ha ! », ai-je ironisé. Ce sont des blagues plutôt méchantes, tu sais. Je ne te comprends pas, Alice. Tu as tout. Tu es si…

– Je sais que tu me trouves privilégiée, mais je ne le suis pas, a-t-elle dit entre ses dents, avant d'éclater de nouveau en sanglots.

– Bien sûr que si, tu l'es, ai-je répondu. Tu possèdes Grâce.

Elle m'agaçait. Moi, je ferais n'importe quoi pour avoir mon propre poney !

– Grâce me déteste ! s'est-elle plainte en pleurnichant.

– Quoi ? me suis-je écriée, avant de plaquer ma main sur ma bouche (je ne voulais pas que Judith nous entende et vienne nous gronder). C'est ce que tu penses ? ai-je demandé à voix basse. Est-ce pour cette raison que tu ne te donnes pas la peine de prendre soin d'elle ?

– Elle ne veut pas que je sois près d'elle, alors j'essaie de rester à l'écart, a affirmé Alice en hochant la tête.

– Mais comment peux-tu croire ça ? me suis-je étonnée. Grâce est si gentille. Si elle est nerveuse, c'est juste parce que c'est une jument arabe. Elle a un cœur en or.

– Je ne l'ai que depuis quelques mois et nous ne nous entendons pas, a soupiré Alice. Un jour, aux écuries de l'école, elle a voulu me donner un coup de pied alors que j'étais en train de lui tresser la queue. Une autre fois, elle m'a désarçonnée pendant une promenade. Et elle n'arrête pas de me donner des petits coups de dent quand j'essaie de la harnacher. Parfois, j'ai peur de me retrouver seule avec elle, a admis Alice, en larmes.

J'étais très choquée. Moi, je ne pourrais jamais avoir peur de Chance, ni penser qu'il me hait. Nous formons une telle équipe que c'est impensable.

– Tu devrais en discuter avec Sandra demain matin. Elle aura peut-être des conseils à te donner, ai-je suggéré.

Comme Alice paraissait toujours très contrariée, j'ai ajouté (à contrecœur) :

– Je t'accompagnerai, si tu veux.

– Tu ferais ça ? s'est-elle étonnée, en s'essuyant les yeux. Alors que j'ai été si horrible avec toi ?

– Sans doute que oui, ai-je marmonné. Et d'ailleurs, pourquoi es-tu comme ça ? Je ne t'ai jamais rien fait...

J'essayais de paraître indifférente, mais en vrai, mon cœur battait à cent à l'heure car ces conflits avec Alice me rendaient malade. Bien sûr, je me suis déjà fâchée avec mes amis ou mes frères, mais personne ne m'a jamais détestée sans raison.

Alice est demeurée silencieuse longtemps, puis elle a déclaré :

– Je suppose que j'étais jalouse, tu as tellement de chance.

– Moi, j'ai de la chance ? ai-je crié, avant de devoir encore plaquer ma main sur ma bouche. Comment ça ? ai-je murmuré. Mais tu as *tout*, toi ! Tu es libre, tu t'amuses et tu possèdes Grâce. Comment peux-tu dire que c'est moi qui suis chanceuse ?

– Ton poney t'adore, ta famille est là pour toi, a-t-elle simplement répondu. Moi, je ne vois presque jamais mes parents. Ils ne viendront même pas me regarder faire du cheval vendredi. Et être interne, ce n'est pas aussi génial dans la vraie vie que ça en a l'air – enfin, pas dans mon école. Là-bas, vu que les filles sont toujours en train de faire des commérages les unes sur les autres, il faut mettre les gens dans son camp, ou bien on se retrouve toute seule.

– C'est pour ça que tu tenais absolument à ce qu'on soit copines, au début ? ai-je voulu savoir. Parce que tu pensais qu'il valait mieux avoir quelqu'un dans ton camp ?

– Oui, a-t-elle acquiescé. Mais maintenant, je sais que c'est différent, ici. Comme tu l'as dit, il n'y a pas de camp. En tout cas, il n'y en avait pas avant que je gâche tout. À présent, personne ne m'aime, et je suis seule contre tout le monde.

– Ce n'est pas si terrible que ça, ai-je commencé.

Mais je me suis arrêtée là parce que, au fond, elle avait tout à fait raison.

– Je suis tellement désolée, Charline, s'est-elle excusée. J'ai vraiment honte du comportement que j'ai eu envers toi. Je ne suis pas surprise que les autres ne m'aiment pas. Mais je vais changer, je t'assure. À partir de maintenant. Je te promets que je vais tout faire pour que tu me pardonnes.

Je n'ai rien répondu. Moi, je n'avais pas envie de me réconcilier avec Alice. En plus, comment pouvais-je croire qu'elle ne serait pas de nouveau méchante avec moi, dès que nous serions devant les autres ?

– Oh, s'il te plaît, Charline, donne-moi une seconde chance, m'a-t-elle suppliée, avant d'éclater en sanglots.

Que pouvais-je dire ? Elle était vraiment bouleversée, et après tout ce qu'elle m'avait raconté sur sa vie, j'avais un peu pitié d'elle. C'est pourquoi j'ai fini par accepter : nous allions oublier ce qui s'était passé et repartir sur de nouvelles bases. Mais seulement si elle présentait aussi ses excuses à Chance !

De retour sur mon lit, le regard perdu dans le vide et pensive, j'ai commencé à voir que tout compte fait, Alice n'était pas aussi chanceuse que je l'avais pensé. Oui, ça devait être chouette de dormir à l'internat – mais si c'était tous les soirs, et sans pouvoir rentrer chez soi ? Oui, c'était sans doute super d'être entourée de copines en permanence, sauf s'il fallait se demander sans cesse qui vous aime et qui vous déteste. C'est une question que moi, je ne me pose jamais ! Et même si ma famille est parfois embêtante, au moins, elle sera là vendredi, y compris papa et mamie. Je n'imagine pas avoir des parents qui m'achèteraient un poney mais qui seraient trop occupés pour se donner la peine de venir me regarder le chevaucher ! Encore pire : je trouve impensable de croire que mon poney me déteste !

N'est-ce pas étrange ? Les choses sont parfois très différentes de ce qu'elles semblent. Les gens aussi. Lorsque je pense à la vie d'Alice, j'apprécie réellement la mienne. Elle a raison : c'est moi qui ai de la chance. Il me tarde de faire un gros câlin à mon poney demain matin et de lui dire à quel point je suis privilégiée de l'avoir !

En fait, maintenant que j'ai écrit toutes ces pages, je me sens un peu fatiguée. Je vais juste fermer les yeux une minute et…

Jeudi matin

Pendant notre pause

J'ai réveillé Alice de bonne heure, et Judith nous a autorisées à descendre parler à Sandra avant le petit déjeuner. D'habitude, elle n'aurait pas accepté, mais à voir nos têtes, elle a su que c'était important.

Nous avons trouvé la monitrice dans la cuisine, près de l'évier, en train de remplir la bouilloire.

– Bonjour les filles, a-t-elle lancé. Que puis-je faire pour vous de si bon matin ? Je n'ai même pas bu mon café !

J'ai regardé Alice, qui a baissé les yeux, et Sandra nous a regardées toutes les deux, avant de nous demander :

– Eh bien ?

Finalement, c'est moi qui ai dû prendre la parole.

– Alice a peur de Grâce. Peut-être que tu pourrais l'aider ?

Sandra a paru perplexe.

– Elle me déteste, a expliqué Alice d'une toute petite voix.

– Oh, je suis certaine que ce n'est pas vrai, a assuré Sandra avec un sourire.

Elle pensait sans doute qu'Alice était encore en train de faire des histoires.

– Mais si, c'est vrai, a insisté Alice.

Elle m'a jeté un coup d'œil et je lui ai fait un signe de tête pour l'encourager. Elle a pris une profonde inspiration et a raconté à la monitrice que Grâce la mordait, lui donnait des coups de pied et la désarçonnait.

Le visage assombri, Sandra a froncé les sourcils.

– Je n'ai rien remarqué, a-t-elle affirmé.

– Elle ne fait pas ça quand il y a des gens autour, a précisé Alice. Uniquement quand je suis dans la grange avec elle, quand les autres sont occupés et ne font pas attention à elle. Elle ne veut pas que quelqu'un voie comment elle est en vrai.

Sandra a poussé un soupir.

– Les poneys ne pensent pas ainsi, a-t-elle déclaré d'un ton ferme. J'ai plutôt l'impression que tu es entrée dans un cercle vicieux. Tu es nerveuse lorsque tu t'occupes de Grâce, elle le ressent et devient anxieuse à son tour. Alors, elle se conduit un peu mal et tu t'énerves encore plus. Il faut que tu casses ce cycle. Que tu sois calme, sûre de toi et maîtresse de ta monture.

– Mais elle… a commencé Alice, avant d'être interrompue par Sandra.

– Elle ne te *hait* pas, a insisté Sandra. Je le répète : les poneys n'ont pas ce genre de pensée.

– Ah bon ?

– Je te l'assure. Je possède des poneys depuis l'âge de six ans, j'ai passé trois ans en centre de formation équestre et cinq ans à travailler comme monitrice, alors je crois que je suis bien placée pour le savoir. En revanche, tu dois travailler à construire ta relation avec ta jument. Charline, par exemple, est très complice avec Chance. Je suis sûre qu'elle pourrait te donner de précieux conseils, a suggéré Sandra en me regardant. Tu es d'accord, Charline ?

J'ai fait oui de la tête.

– Merci, Charline, m'a dit Alice timidement.

Sandra a retrouvé le sourire puis a conclu :

– Bon, pourquoi n'iriez-vous pas prendre votre petit déjeuner, avant qu'Émilie ne dévore toutes les céréales ? Et que ça ne vous retraverse même plus l'esprit de redescendre ici aussi tôt !

– D'accord ! a répondu Alice, qui semblait déjà beaucoup plus gaie.

Je m'apprêtais à la suivre dans la cour lorsque Sandra m'a rappelée.

– C'est très gentil de ta part de l'aider, m'a-t-elle dit. J'ai remarqué que vous ne vous entendez pas très bien, toutes les deux.

Je n'ai pas pu m'empêcher de sourire.

– Peut-être que nous allons nous entendre, maintenant, ai-je répondu, avant de m'éloigner.

Après le petit déjeuner, nous avons pris des longes et nous sommes allées chercher nos poneys. Lydie nous a surveillées dans le champ, mais cette fois-ci, elle a refusé d'attraper nos montures pour nous. Elle a dit que nous devrions avoir le coup de main, à présent. J'ai réussi à attraper Chance. Alice semblait toujours incertaine. Puis, les larmes aux yeux, elle a déclaré :

– J'ai essayé, mais chaque fois que je marche vers elle, elle s'en va au trot.

– Ne t'inquiète pas, l'ai-je rassurée. Respire à fond et sois positive. Maintenant, va à côté d'elle d'un pas assuré et attache la longe, comme si tu *t'attendais* à ce qu'elle reste immobile.

Alice a encore hésité, avant de se décider. Et devinez quoi ? Ça a marché ! Elle était très contente d'elle. Elle m'a remerciée tandis que nous conduisions nos poneys hors du champ.

– Tu vois ? Grâce est une gentille jument, lui ai-je dit. Elle a juste besoin de sentir que tu as confiance en toi et que tu contrôles la situation, c'est tout.

Grâce a été adorable dans la cour. J'ai veillé à lui faire des tas de compliments pour convaincre Alice que sa jument est chouette. J'ai montré à ma camarade comment descendre sa main le long du flanc et de la jambe de Grâce avant de lui curer les sabots, afin d'éviter les coups. Ensuite, quand Alice a voulu essuyer les yeux de sa jument, celle-ci s'est ébrouée et a rejeté la tête en arrière. Surprise, Alice a eu un mouvement de recul.

– Pas de panique, elle te dit juste merci ! l'ai-je encouragée avec un grand sourire.

Alice a compris et a donné une grande tape à Grâce. Elle fait de sacrés progrès !

Oh, j'allais oublier : Alice s'est bien excusée auprès de Chance ! En plus, elle a été aux petits soins avec lui. Elle lui a caressé l'encolure, lui a dit qu'il était très intelligent et qu'il réussirait hyper bien au concours de dressage.

Il a henni et a frotté son nez contre son bras – la preuve qu'il lui a pardonné. La moitié de carotte qu'elle lui a donnée a dû y être aussi pour quelque chose!

Alice était cependant un peu gênée par rapport aux autres cavalières de dressage, après l'incident d'hier soir. Malgré tout, elle s'est efforcée d'être souriante. Résultat : l'ambiance dans la cour s'est détendue, et toutes ont bientôt pansé gaiement leurs montures. Au moment où Alice s'apprêtait à passer le peigne à crins sur le corps de Grâce, Paula a montré le peigne du doigt et s'est écriée : « Bip ! oh, oh ! », comme si nous jouions toujours au jeu télévisé. Nous avons ri, même Alice a trouvé ça drôle. Toutes les deux, nous avons échangé un sourire. Peut-être qu'elle n'est pas si méchante que ça, après tout.

Oh, une seconde, voilà les autres.

Jeudi

Au lit

Je suis épuisée, mais trop excitée pour dormir. J'en profite donc pour remplir mon journal.

Nous avons commencé la journée par notre leçon d'équitation, où nous nous sommes entraînées à nos reprises libres en musique. Puis, pendant l'atelier de dressage qui a suivi, Sandra a commenté nos prestations. Nous étions tendues et surexcitées d'enchaîner enfin nos différentes figures. Lydie les a annoncées à voix haute pour nous permettre de nous concentrer sur notre équitation. Demain, pourtant, nous devrons les connaître par cœur et les exécuter toutes seules, comme des grandes !

Après un échauffement à chaque main et du travail général sur l'équilibre et l'impulsion, ce fut l'heure d'effectuer les tests. Le groupe a laissé le manège entier à chaque cavalière en allant se positionner sur le chemin. Nous avons mis pied à terre et, accoudées à la clôture, nous avons tenu nos montures tandis qu'elles broutaient le gazon.

Vu qu'Alice tirait trop fort sur la longe de Grâce, celle-ci a commencé à s'agiter un peu, alors Alice m'a jeté un regard anxieux. Je lui ai conseillé de se détendre, de lâcher un peu la corde pour donner de l'espace à Grâce. Dès qu'elle a appliqué mes conseils, sa jument s'est remise à manger l'herbe, toute heureuse.

– Merci ! Et merci aussi pour le joli mors vert visqueux que je vais devoir frotter ! s'est esclaffée Alice.

J'ai éclaté de rire moi aussi, surtout quand j'ai vu la belle bouche baveuse de Chance, assortie à celle de Grâce. Beurk !

Lorsque mon tour est venu d'effectuer le test, je me suis vraiment amusée. C'était complètement différent de faire le dressage en musique. Étant donné que Chance était plus alerte et levait les pieds avec plus de dynamisme, j'en ai déduit qu'il aimait vraiment la chanson que j'avais choisie. Heureusement que Lydie nous soufflait l'ordre des séquences ! Sinon, j'aurais complètement oublié l'arrêt et le reculer en E, et j'aurais remonté tout le grand côté du manège au pas. Pourvu que j'arrive à retenir ce mouvement avant demain !

J'étais très concentrée sur le rythme de la musique. J'ai veillé à serrer les jambes contre les flancs de Chance et à utiliser les demi-arrêts afin de le mettre exactement dans le temps. Mais c'est très difficile à faire, ça ne marchait pas à tous les coups. Pourtant, quand ça a été le cas, c'était très joli. Si je peux réussir aussi bien certains de mes enchaînements demain, je serai heureuse !

Après les essais de Laura et d'Alice, le groupe a réintégré le manège pour un échauffement collectif. Puis nous avons ramené nos poneys dans la grange, avant de leur enlever leurs harnachements. Nous nous sommes félicitées les unes les autres et avons croisé les doigts dans l'espoir d'obtenir des commentaires positifs de Sandra.

La monitrice a attendu que nous soyons assises sur les bancs, une boisson à la main, pour nous livrer ses remarques. Je suis arrivée en troisième position, après Paula et Marie. Chaque stagiaire a des points à travailler, mais Chance et moi en avons une longue liste. La voici :

1) Connaître ma chorégraphie sur le bout des doigts, sans avoir besoin qu'on me souffle.

2) Descendre la ligne centrale au trot dès l'entrée dans le manège pour obtenir l'attention de Chance, en utilisant les demi-arrêts et en serrant les jambes.

3) Ne pas trop me préoccuper des foulées de trot allongées en passant par X – des foulées normales conviendront. (Ouf ! Ça tombe bien, car elles me posaient problème !)

4) Relever la tête et regarder où je vais – pas le cou de Chance !

5) Rester sur la piste pendant mes galops, ne pas laisser Chance « manger » les coins.

Sandra a conclu son bilan en disant :

– Bon, récapitulons. Qu'attend de voir le juge ?

Vu qu'elle nous l'avait tellement rabâchée, nous lui avons débité la réponse toutes en chœur :

– Rythme, impulsion, souplesse, expression, un cheval « sur la main » et droit, un bon rassembler, une bonne assise, avons-nous récité, avant de piquer un fou rire.

(Un cheval « sur la main » implique une communication douce et constante entre la main du cavalier et la bouche du cheval, et le rassembler est l'attitude idéale du cheval qui engage ses postérieurs sous lui et abaisse ses hanches.)

– Bravo, a dit Sandra en levant les yeux au ciel.

Elle nous a ensuite séparées en équipes de deux pour que nous apprenions nos numéros par cœur. Quand je me suis mise avec Marie,

Alice n'a pas boudé du tout, elle a juste demandé si elle pouvait se joindre à nous. Marie a accepté et tout s'est bien passé.

Le déjeuner terminé, nous avons paniqué devant les nombreux progrès qu'il nous fallait encore réaliser avant le concours de reprise libre en musique. Pourtant, Sandra nous a surprises en annonçant dans la cour :

– En réalité, les filles, vous avez beaucoup plus besoin de vous détendre que de vous entraîner. Nous allons profiter de ce bel après-midi pour aller nous promener !

– Mais c'est impossible ! Il faut *absolument* que nous nous entraînions ! avons-nous rétorqué.

Nous n'avons pas eu le choix, et en fait, nous avons passé un bon moment avec nos poneys. Nous avons galopé à travers des champs de chaume, avons descendu des chemins au trot et nous avons même traversé une rivière ! À un moment, Flamme a trébuché sur une branche et Paula est tombée par terre. Plus tard, Alice m'a dit qu'ayant compris que c'était un

« accident », elle s'était dit que Grâce non plus n'avait peut-être pas fait exprès de la désarçonner par le passé. Après le dîner, elle a même reconnu que cette promenade était une excellente idée parce qu'elle lui avait permis de se rapprocher de Grâce et de s'amuser. (Je n'en revenais pas, vu qu'elle est en général complètement obsédée par l'entraînement de dressage.) Et après que nous avons eu fini de panser nos poneys, c'est même moi qui ai dû lui dire de se dépêcher car j'avais faim – elle ne voulait plus quitter Grâce !

Ce soir aussi, c'était chouette : en l'honneur de notre dernière nuit aux Écuries du soleil, nous avons... dansé !

Nous nous sommes préparées comme si nous allions à une vraie fête. Paula a maquillé toutes les stagiaires avec son superbe fard à paupières argenté et son brillant à lèvres rose. Et Elsa m'a prêté son clip à cheveux en forme de fleur rouge en soie (elle, elle portait le bleu).

Judith a tiré les rideaux et Jérémy, le grand frère d'Émilie, a apporté son éclairage dans la salle de jeux (comme quoi, un frère, ça peut être utile !). Nous avons bien dansé, c'était super. Après quelques chansons, Jérémy a soudain mixé les musiques de nos chorégraphies de dressage. Le groupe s'est écarté de la piste de danse et, chacune notre tour, nous avons fait mine d'enfourcher notre poney et avons mimé notre enchaînement. Je riais tellement que j'en avais mal à la mâchoire, surtout quand Laura a henni et a fait des bêtises pour imiter Charme.

J'ai hâte de faire le concours demain. Je ne pense pas que Chance et moi serons très forts, surtout en comparaison avec Paula et Flamme, mais nous allons donner le meilleur de nous-mêmes et nous amuser !

Vendredi

C'est le grand jour,
je suis tout excitée !

Nous sommes toutes prêtes ; nous attendons juste l'arrivée de nos parents. Il me tarde de revoir ma famille – elle m'a beaucoup manqué (d'accord, je l'admets, même mes ennuyeux de frères !).

Ce matin, nous avons eu notre dernière leçon (snif ! snif !). En groupe, nous avons révisé les figures imposées puis nous avons testé nos épreuves individuelles en musique. J'ai été très surprise de constater que nous avons assimilé des tas de choses, simplement en dansant comme des folles, hier soir. Moi, j'ai réellement réglé les points 1, 4 et 5 de ma liste ! Après un premier essai de chaque cavalière, Sandra a décrété :

– Bon, maintenant, ça suffit. Je ne veux pas que vous soyez surentraînées !

(Comme si ça pouvait arriver !)

Ensuite, Alice, Laura, Paula, Marie et moi avons enfilé nos tenues, avant de préparer nos poneys et d'astiquer leurs harnachements jusqu'à ce qu'ils brillent.

Oh, voilà la voiture de mes parents !

Vendredi soir

Chez moi, dans mon lit

Je n'arrive pas à croire que le camp d'équitation est terminé !

Je reprends exactement là où je me suis arrêtée, de façon à ne rien oublier d'important !

Tous les parents sont donc arrivés, enfin, sauf ceux d'Alice. Comme j'étais triste pour elle quand tout le monde s'embrassait et se serrait dans les bras les uns des autres, je l'ai présentée à maman et à mamie. Elles lui ont fait un gros bisou, puis mes trois frères s'y sont mis aussi et l'ont presque écrabouillée. (Elle a dû avoir l'impression d'être cognée par des autotamponneuses !)

Ça a semblé lui redonner le moral. C'est à ce moment-là que je me suis rendu compte que j'ai vraiment énormément de chance d'avoir ma famille – même si chez nous, l'ambiance est parfois très masculine et bruyante !

Nous avons assisté aux épreuves de vitesse des stagiaires du groupe A ; nous les avons beaucoup applaudies. Émilie a été incroyable. Elle les aurait toutes remportées si, comme par hasard, elle n'avait pas laissé Tropique effectuer certaines courses à contresens au grand galop ! Elsa et Jade ont gagné une épreuve et Ninon deux. Elles étaient très contentes d'elles.

Ensuite, l'heure d'aller chercher nos poneys et de les enfourcher pour notre reprise de dressage libre est arrivée. Aïe ! Aïe ! Aïe ! Quel trac !

Je me suis portée volontaire pour passer en dernier, parce que personne n'était partant. En tant que poney le plus décontracté du monde, Chance était heureux de patienter, malgré le bruit et l'agitation ambiants.

Les spectateurs ont adoré le dressage ; ils ont applaudi chaque cavalière comme des fous.

Quand Marie s'est présentée, tout le monde a ri parce que Polisson ne voulait pas entrer dans le manège – ce qui prouve une fois de plus qu'il porte bien son nom ! Ensuite, ce coquin a continué de trotter après le repère où il aurait dû revenir au pas, et il a effectué un autre cercle de vingt mètres au trot, tellement il s'amusait ! Mais dans l'ensemble, Marie et Polisson ont réalisé une belle prestation.

La chorégraphie de Paula sur du flamenco était fabuleuse et très théâtrale, avec ses nombreux arrêts soudains et ses changements d'allure, y compris une transition de l'arrêt au *galop* ! (Extraordinaire !)

Laura, elle aussi, a été fantastique ! Le public l'a acclamée dès le début, car son entrée était brillante : elle s'est tout de suite lancée au galop, en rythme parfait avec sa chanson. Nous avons croisé les doigts tandis qu'elle se préparait pour son contre-galop, et elle a réussi ! Son numéro était si impeccable qu'on aurait dit une professionnelle de la foire agricole.

Lorsque la musique d'Alice du ballet *Roméo et Juliette* a retenti, toutes les cavalières ainsi que ma famille l'ont encouragée. Je crois que ça lui a donné beaucoup de force. Résultat : elle a fait une épreuve magnifique. Ayant juste manqué le galop dans le coin AF, sa jument et elle ont donc dû refaire un cercle. Mais Alice a gardé le sourire, sans paniquer, si bien que Grâce lui a obéi avec un grand calme.

Moi, pendant ce temps-là, j'ai commencé à me sentir en ébullition et nerveuse. Je ne voulais pas rater mon enchaînement devant toute ma famille. Alors que je me crispais, je me suis souvenue du conseil que j'avais donné à Alice hier : se détendre et s'amuser. J'ai donc respiré à fond, j'ai souri jusqu'aux oreilles, et très vite, je n'ai plus eu besoin de me forcer. Quand mon tour est venu d'entrer dans l'arène, je me suis penchée pour donner une grande tape à Chance et je lui ai chuchoté à l'oreille : « Faisons de notre mieux ! ».

Eh bien, c'est ce qu'on a fait !

Le public a adoré mon entrée où j'ai fait tourner mon ombrelle. Il m'a beaucoup applaudie, ce qui m'a donné une grande confiance en moi. (J'ai remis l'accessoire à Lydie avant de commencer l'épreuve, bien sûr.)

C'était super de parcourir le manège avec mon merveilleux poney sur la musique que j'avais choisie – j'avais l'impression que nous dansions ensemble. Nous n'avons pas exécuté assez de pas de reculer, j'ai oublié combien nous étions censés en faire ! Et j'ai continué à main gauche en A, au lieu d'effectuer le numéro de façon symétrique, à main droite. Mais, le sourire aux lèvres, j'ai vite rectifié mon erreur en réalisant une boucle dans le coin AK. Je crois que personne n'a rien remarqué – à part Sandra et Lydie, évidemment !

À la fin, en atteignant X, Chance et moi avons effectué un arrêt carré (hourra ! – il est passé du trot à l'arrêt sans se mettre au pas, en s'arrêtant d'aplomb sur ses quatre membres). Puis, juste au moment où la chanson finissait sur « Ne plus avoir peur d'être à la hauteur », Chance a reniflé et a secoué la tête comme s'il approuvait ces paroles. Il était si mignon que tous les spectateurs ont rigolé. J'étais tellement fière de lui, de nous, que j'aurais pu réellement exploser de joie. S'il s'était agi du concours du plus beau poney, nous aurions sans aucun doute remporté la première place ! Mais c'est Laura qui a été la meilleure, même si Judith a trouvé que Paula la suivait de très près. Et, chose incroyable, Chance et moi avons terminé troisièmes ! (En récompense, on nous a remis un splendide flot vert.) Marie et Alice ont aussi reçu de jolies cocardes roses pour leur participation.

Je croyais qu'Alice serait un peu fâchée que je sois mieux classée qu'elle. Au lieu de ça, elle m'a serrée dans ses bras et m'a félicitée (elle a fait plein de câlins à Chance également).

Lorsque je lui ai dit bravo à mon tour, elle s'est contentée de hausser les épaules.

– Je n'ai pas si bien réussi que ça, a-t-elle jugé. Grâce et moi n'avons pas pu prendre le galop, j'ai perdu le rythme de la musique plusieurs fois et...

– Mais vous avez travaillé *ensemble*, vous aviez toutes les deux l'air à l'aise et détendues.

Et tout le monde a remarqué que Grâce t'écoutait vraiment, ai-je souligné. Ces points sont beaucoup plus importants qu'une technique parfaite.

– Merci, m'a-t-elle dit. Et surtout merci pour toute l'aide que tu m'as apportée avec Grâce. Sans toi, nous ne serions arrivées à rien. Tu ferais une monitrice super, tu sais.

Quand elle a dit ça, je n'ai pas pu m'empêcher d'avoir un sourire jusqu'aux oreilles. Je me suis vue à la place de Sandra dans quelques années. Ça me plairait plus que tout. Peut-être que si je travaille dur mon équitation, si j'aide souvent le personnel de mon poney-club et si je me documente beaucoup sur les soins aux poneys… Qui sait ? Il se pourrait que moi aussi, j'entre dans un centre de formation équestre.

Mon père a bien sûr filmé la compétition du début à la fin, comme toujours. Il a dit qu'il en ferait une copie pour Alice afin qu'elle la montre à ses parents la prochaine fois qu'elle les verrait. Quand il a parlé d'eux, elle a eu l'air contrariée. Alors maman l'a encore serrée dans ses bras, en lui pariant qu'ils regrettaient leur absence d'aujourd'hui. Ils devaient certainement en avoir assez d'être bloqués par leur travail dans un pays lointain.

Je n'avais pas vu les choses sous cet angle-là auparavant, et peut-être qu'Alice non plus, car elle est devenue plus gaie.

Au moment du départ, j'ai passé un temps fou dans la grange avec Chance. Je me suis assurée qu'il avait assez d'eau, j'ai vérifié qu'il n'y avait pas de cailloux coincés sous ses sabots et je lui ai fait des tas de câlins en lui disant combien je l'aimais. Je lui ai aussi promis plusieurs choses : je regarderais sa photo chaque jour, je ne l'oublierais jamais et j'essaierais de convaincre maman de me laisser revenir l'année prochaine. Il a frotté son nez contre mon épaule et a reniflé doucement – la preuve qu'il était d'accord avec moi.

Toutes les autres stagiaires étaient dans le même cas que moi : aucune ne voulait quitter son poney. Nous avons pris des photos de groupe et en couple avec nos poneys. Paula m'a même demandé de la photographier en train d'enlever un crottin, pour prouver à son frère qu'elle l'avait bien fait (il ne l'en croyait pas capable !).

Enfin, comme il fallait réellement, absolument, impérativement que nous partions (selon les propres mots de Sandra), nous avons pris une série de photos finales avec elle, Lydie, Judith et Émilie. Puis nous nous sommes dirigées vers nos voitures.

Alice est restée aux Écuries du soleil après notre départ parce que Judith devait la reconduire à son pensionnat, avec Grâce dans son van. Elle ira ensuite dans la région des lacs faire d'autres activités de plein air. Avant de nous séparer, Alice m'a serrée dans ses bras une dernière fois, nous nous sommes redit au revoir et... nous nous sommes remises à discuter. Maman a été pratiquement obligée de me faire entrer de force dans la voiture ! Alice et moi allons nous écrire, et maman dit qu'elle pourra venir dormir à la maison à la fin des vacances. Je n'en reviens pas que nous soyons devenues si copines après tout ce qui s'est passé !

J'ai tellement de chance d'avoir effectué ce stage d'équitation et d'avoir monté le poney Chance... et surtout d'avoir une famille qui m'aime tant.

Oh, il faut que j'y aille. Maman m'appelle afin que je mettre la table pour le dîner. Grrr ! Je crois que je vais lui demander pourquoi mes frères ne peuvent pas le faire. Mais je ne lui avouerai pas combien je suis heureuse d'être revenue à la maison !

Dans la série

Mon poney et moi

Manon et Polisson

Pauline et Prince

Julie et Fripon

Chloé et Cannelle

Léa et Charme

Camille et Caramel

Charline et Chance

Marine et Bijou